꽃과 소녀는
자연과 인간의 아름다운 만남을 상징합니다.
꽃은 우리에게 아름다움과 풍요로움을 선사하며
소녀는 우리에게 순수한 아름다움을 보여줍니다.
이 두 가지 요소가 만나면,
우리는 찬란한 예술적 경험을 만나게 됩니다.

이 일러스트북은 무한한 상상력과
아름다운 그림으로 여러분을 사로잡을 것입니다.
꽃 한 송이가 피어나는 모습부터
소녀의 우아한 모습까지,
이 책은 아름다운 순간을 담아냅니다.
그 안에는 감정과 이야기가 공존하며,
당신의 마음을 따뜻하게 만들 것입니다.

여기서 시작해보세요.
여행을 떠나 보세요.
꽃과 소녀가 펼치는 이 아름다운 세계에
당신을 초대합니다.

꽃과 소녀 일러스트북

꽃 향기 속 소녀의 미소는 봄의 노래

A girl's smile amidst the scent of flowers
is the song of spring

피어난 꽃과 소녀의 순수한 눈빛이 만나는 순간

The blooming flowers meet
the innocent look in her eyes

소녀의 머릿결 위에 꽃잎이 춤추며 노래한다

The petals dance and sing in the girl's hair

봄바람이 소녀의 손에 꽃잎을 안겨주듯

The spring breeze blows petals into her hands

노을 빛 속에서 소녀가 꽃이 되어있네

In the sunset light, she becomes a flower

소녀의 미소가 꽃들을 깨우는 아침

In the morning, her smile wakes the flowers

꿈결 속에서 꽃과 소녀가 춤추는 밤

At night, the flowers and the girl dance in their dreams

소녀의 눈에 담긴 꽃 한 송이의 비밀

The secret of a single flower in a girl's eyes

꽃들이 소녀의 발길을 따라 춤추며 핀다

The flowers dance and bloom along
the girl's footsteps

소녀의 미소는 꽃들에게 햇살을 선물한다

A girl's smile brings sunshine to the flowers

소녀의 눈빛이 꽃들을 깨우는 봄날의 시작

The beginning of spring when a girl's eyes
wake up the flowers

꽃잎 하나하나가 소녀의 손에 스며든다

Each petal falls into her hand

소녀의 발걸음에는 꽃들의 노래가 흐른다

The flowers sing in her steps

향기로운 꽃들이 소녀의 꿈을
더욱 달콤하게 만든다

The fragrant flowers make
her dreams even sweeter

소녀의 미소는 마음 속에 꽃 한 송이를 피우게 한다

Her smile makes a flower bloom in her heart

꽃과 소녀가 함께하는 시간은 시름을 잊게 만든다

The time the flowers and the girl spend
together makes them forget about time

꽃잎이 소녀의 머리결을 따라 춤추며 날아간다

The petals dance and fly along the girl's hair

소녀의 미소는 꽃들의 비밀을 품고 있다

The girl's smile holds the secrets of the flowers

소녀의 눈은 꽃들의 아름다움에 잠겨든다

The girl's eyes capture the beauty of the flowers

꽃들은 소녀의 손길에 더욱 환한 색으로 피어난다

The flowers become more colorful at her touch

소녀의 숨결은 꽃들의 탄생에 새로운 희망을 심는다

The girl's breath brings new hope to the flowers' lives

꽃들은 소녀의 노래에 마음이 열고 피어난다

The flowers open their hearts to her song and bloom

꽃잎 하나가 소녀의 머릿결에 눈물처럼 떨어진다

A single petal falls like a tear on the girl's hair

소녀의 미소가 꽃들의 꿈을 이루어준다

The girl's smile makes the flowers' dreams come true

꽃들은 소녀의 곁에서 더욱 풍성하게 피어난다

The flowers bloom more abundantly in her presence

소녀의 눈은 꽃들의 비밀을 은밀히 간직한다

The girl's eyes hold the flowers' secrets

꽃잎이 소녀의 손에서 풀어지며
세상을 더욱 아름답게 만든다

The petals unravel in her hands,
making the world more beautiful

소녀의 웃음소리가 꽃들의 노래를 이끌어낸다

The girl's laughter brings out the flowers' song

꽃들은 소녀의 품에 안겨 향기가 된다

The flowers are held in the girl's arms and perfumed

소녀는 하나의 꽃잎이 된다

The girl becomes a petal

꽃과 소녀 일러스트북

발 행 | 2024년 5월 25일

저 자 | 정유영

펴낸이 | 한건희

펴낸곳 | 주식회사 부크크

출판사등록 | 2014.07.15.(제2014-16호)

주 소 | 서울특별시 금천구 가산디지털1로 119
SK트윈타워 A동 305호

전 화 | 1670-8316

이메일 | INFO@BOOKK.CO.KR

ISBN | 979-11-410-8502-5

WWW.BOOKK.CO.KR